"

사랑이 품고 있는 단어들

사랑이 품고 있는 단어들

발행	2023년 12월 15일
저자	박몽진
펴낸이	한건희
펴낸곳	주식회사 부크크
출판사등록	2014. 07. 15(제2014-16호)
주소	서울특별시 금천구 가산디지털1로 119 A동 305호
전화	1670-8316
E-mail	info@bookk.co.kr
ISBN	979-11-410-6016-9

www.bookk.co.kr

66

사랑이 품고 있는
단어들

박몽진 지음

BOOKK

시인의 말

누구에게나 불꽃으로 환하게 타오르는 순간이 있다. 꾸며서 이룰 수 없는 아름다운 순간이 있다.

석류알이 석류 껍질을 열고 나오듯이 스스로 빛나는 황홀한 생명이 분수처럼 뿜어져 나오는 순간이 있다.

영원히 간직하고 싶은 순간을 그냥 지나쳐간다는 아쉬움으로 고개가 절로 돌아간다.

순간을 담아 영원히 간직할 수 있는 사진기라도 하나 있었더라면.

차례

Ⅱ

Ⅲ

I

탄 생

별 하나
새벽하늘에 신생한다.
영원을 이어가는 주름 자글자글한 작은 손이
나의 손을 잡아
과거로부터 미래로 가는 길로 인도한다.

두 뺨에 아롱지는 눈물방울
이제 막 별을 쏟아낸 우주는 고요히 잠들고
초롱한 별이 하나
낯선 세상을 만나고 있다.

시간이 지나가는 풍경

흐르는 것들에게는 배경이 있습니다.
변화하지 않는 중심은 보이지 않기에 주변을 보고
지나간다고 합니다.
존재하는 것들로 변하지 않는 것은 없습니다.
꽃은 피어선 지고 구름은 모였다 흩어지고
밤과 낮도 쉼 없이 반복됩니다.

바라다보는 당신도
건너다보는 나도
가만히 있는 것은 없습니다.
흐르거나 지나가는 것이지요.
시간은 한순간도 멈추지 않습니다.
우리가 잠깐씩 잊는 것이지요.

사랑하는 당신이 나의 중심이라면
당신이야 변할 수 있겠습니까.
주변은 변하더라도 중심은 움직이지 않는 것
나의 사랑은 변하지 않습니다.

그러나 흐르는 것에 완성은 멈추는 것이 아니라
흐르는 것입니다.
그리하여 이미 맺어진 것은 풀어지려 하고
맺어지지 못한 것들은 늘 그리워합니다.

꽃과 새를 위한 참회록

올봄에는 새로이 단장하고
경건한 마음으로 꽃들 앞에 서겠습니다.
꽃 앞에 죄인 된 줄을 이제서야 알게 된 우매함을
사죄하고 용서를 빌겠습니다.

새들에게도 사죄하겠습니다.
둥지를 만들 나무마저 빼앗아 버리고
전주대 위에 수고로이 마련한 둥지를 향해
총질을 해 대는
저 무자비한 인간들을 대신하여 사죄를
올리겠습니다.

무지로 인해 지은 죄
인간만을 위한
그 마음으로 저질러 온 죄

이 무자비하고 오만한 삶을 참회하오니
올봄에는 당신들의 개업식에 경건한 마음으로
참여하겠습니다.
당신들에게 용서를 빌고 새로이 시작하는 한 해를
위해 진심으로 축복을 기원하겠습니다.

빨 래 하 기

구분 없이 온 식구가 이렇게 서로를 부여잡고
있는 것이로구나.

고단한 하루의 땀내를 지워내고
구분 없이 엉켜버린 옷가지들을
하나하나 떼어내어 다독이다 보면
하루를 살러 나간 가족들의 얼굴이 다가온다.
때 묻은 옷에는 애환哀歡이 묻어있다.

말끔히 때를 벗긴 옷을
한장 한장 떼어내 정성으로 다독이는 것은
뒷바라지 삶이 사랑으로 충만한 삶으로 다시 태어나
는 순간일 것이니
모든 것들은 다 이렇게 얽히어져 있다.

빨래가 정성이 가득한 식단으로 이어지고
따뜻한 식탁은 건강과 기쁨과 감사가 깃든
이야기로 이어지는 것이니
마음이 고단해지거들랑은 자청하여
빨래를 해 볼 일이다.
볕 좋은 아침 햇살에
가족들의 때 묻은 일상을 뽀얗게 널어 말리면
하루가 환해지는 것이니

탱글한 고것을

한겨울 기나긴 밤
아들과 함께 앉아 책을 읽는다.
초저녁 까무룩 잠길에 들어
몇 개의 산과 내를 건너오신 어머니께서
잠 없는 부자를 그윽이 바라보시다가
밀감 몇 개를 내오신다.
"옛다, 이거나 먹어 가메 보거라"
탱글한 밀감의 몸뚱이가 겨울밤처럼 손에 차다.
쉽사리 껍질을 벗겨내지 못하고
따뜻한 손 위에 올려 체온을 맞추는데
어떻게 속내를 알았는지
눈치가 탱글한 고것이 무릎 위로 톡 뛰어내려선
떼구르르
소파 밑 어둠 속으로 숨어버린다.

차가운 것도
뜨거운 것도
마다하는 입 속의 나이 때문에
쳐다보기만 해도 군침이 솟아오르는 탱글한 고것을
아뿔사
놓쳐버리고 말았다.

섭섭하이[1]

밤톨같이 옹골지게 생긴 녀석이다.
물 위를 냅다 굴러온다.

달랑 함지박 하나를 타고 와서는
 '원달러, 원달러'를
외치는 아이에게는
그늘진 비굴과 천박이 없다.

아이는 당당하게
원 달러, 천원만 달라고 한다.

---

1) 섭섭하이 : 캄보디아 말로 '안녕하세요'라는 뜻.

'업군지랄2), 업군지랄'
그래, 그래, 그래라.
참으로 씩씩한 너의 요구.

나는 너를 열심히 카메라에 담는다.
네가 사는 모습을
옹골찬 네 모습을
물러터지기만 내 아이들에게
보여주고 싶어서
기꺼이 원 달러 한 장을
네 손에 쥐어 주고
열심히 사진을 찍는다.

---

2) 업군지랄 : 캄보디아 말로 '대단히 감사합니다'의 뜻

http://blog.naver.com/pcmj4u

아 들

혼자서 킥킥거리는 저 녀석.
무얼 보는지 엄청 재미있나 보다.
낄낄거리다 킥킥거리다 혼자서 난장이다.
주체할 수 없는 생명이
용수철처럼 튀어나와
여기저기 몸뚱이 성할 날 없고
50점짜리 성적표를 내밀면서도
짜장면을 조르는 저 능청스러운 녀석.
도대체가 걱정이라고는 없어서
저 혼자서라도 마침내 신나버리고 마는
저 녀석의 하루를 보고 있자면
비죽이 웃음보따리 터지고 만다.

아 내

아내는 푸짐한 밥상이다.
그저 바라보기만 하여도 오감이 충만해진다.
하나는 온전한 하나라도 반쪽일 뿐이어서
늘 비스듬한데
아내를 품에 가득 안으니
비로소 세상이 동그래진다.

낙화落花

다비茶毘로구나.
비를 뿌리던 하늘도 엄숙히 시립하고
바람마저 숨을 죽인 고요한 아침에
점점이 떨어지는 선홍빛 불꽃들.

하늘이 내려다본들 부끄럼 없어라.
한 점 죄 없이 살다 가는 생이라
육신도 넋도 흔적이 없으련만
떠난 자리에 한 점
영롱한 초록빛 사리舍利를 남기었구나.

어느 휴일 아침

손에서는 간장 냄새가 나네.
후라이팬 속에서 파와 마늘과 간장이 함께 튀겨지며
풍기는 휴일 아침 부엌의 냄새가 나네.

아내는 아침 일찍부터 예수를 만나러 가고
아이들은 자고 늘 그렇듯이 늙은 어머니의 훈수로
조반상을 마련한다네.
조리를 하고 그릇을 닦으며 나는 생각해 보네.
언제부터인가 두 모자의 일상이 되어버린
이 휴일 아침에 대하여.

결혼 27주년 아침이라며
그녀가 나에게 주고 간 엽서에는
사랑이라던가 고맙다라던가 백년해로라던가.

그런 낱말들이 버무려져서 도무지 알 수 없는
냄새가 나네.
설거지가 끝나고 나면 두 손을 비누로 말끔히
씻어내야 하는 것을
여운처럼 묻어나는 복잡한 이 냄새는 비누질로는
말끔히 지워지지를 않네.

이 모든 상황은 그저 순리일 뿐.
몸속의 시간이 내게도 작용하고 있을 뿐.
삶이란 이렇게 변해가는 것이라고 그가 그렇게 말해
주었듯이.
지금 서 있는 이 지점과
삶이 진행해 가는 속도를 살펴보면 알 일이네.
그녀의 한결같은 외출도
휴일 아침 나의 부엌도
그 모두가 그저 순리라는 것을.

잘 들여다보면 알 일이네.
그래서 나름 편안해진 아침이네.
원두를 갈아
커피나 한잔 내려 먹을 시간이라네. 지금은

들 풀

나 죽어서
한 줌의 검은 흙덩이가 되더라도
저 들판에 무성한
풀잎에 뼈가 되고
꽃잎의 살이 되어 다시 올 수 있다면
바람이 들려주는 작은 노래에도
온몸으로 춤을 추겠네.

인간의 하루는 번거롭기도 하여라.
쉽사리 쓰여지고 지워지는 이름들.
작고 가냘픈 몸이더라도
땅속에 단단히 뿌리를 내리고
하늘 받들어
한 점 부끄러움 없거니
나는 저 들판에 가득한 들풀이고만 싶다.

잠 자 리

어떻게 들어왔는지
잠자리 한 마리가 교실 창문에
머리를 박아대고 있거니

"열려라 참깨,
 열려라 참깨"

저런 벽창호를 보았나.
혀를 끌끌 차며 쳐다보다가
나는 그만 무엇엔가 쭈뼛해져서
슬그머니
좌우를 두리번거리게 되는 것인데.

저 미련한 머리통이
깨져 버리기 전에
창문을 열어 주어야 하나, 말아야 하나
나는 또한 고민에 빠지게 되는 것인데.

먼지를 닦다

책상 위에 먼지를 닦습니다.
하얀 걸레에 까맣게 묻어나는 먼지.
지난밤 지지난밤
모두가 떠나간 이 공간에
소리 없이 내려앉았을
이 작은 알갱이들.

보이지 않게 세월이 흐르듯
흐름 속에서 작게 나누어지는 것들.
나누어지는 것들 속에는 나도 당신도 있습니다.
나도 당신도 나누어집니다.
그렇게 우리도 부스러집니다.

그래서 우리는 하나입니다.
등 돌리고 제각각 서 있을지라도

거리를 두고 서 있더라도
수 없이 오고 가는 호흡만으로도
어느새 우리는 하나입니다.

구분과 단절이 일어나는 곳이
우리의 마음일진대
마음속에 먼지를 닦다 보면
우리가 진정 하나임을 알게 될 것입니다.

그 마음을 모르겠거든

그 마음을 모르겠든
건네오는 말을 나누어
잘게잘게 썰어보라.
잘근잘근 씹어보라.

정제精製된 파편들 속에서
순수한 피톨들이 쏟아져 나올 때까지.

말속에는 숨겨진 알맹이가 따로 있나니
부서진 조각에 코를 대고 그 향기를 맡아보라.
나누어진 조각들 속에 교묘하게
숨겨 놓은
그의 속 마음이 환하게 보일지도 모른다.

장 마

연사흘 쉬지 않고
비가 내린다.
하늘은 어디에다가
저 많은 물방울을 쌓아 놓았었을까.

온 천지간에
빗소리만 가득하다.

II

안 개 강

들고양이 한 마리
긴 강둑 어디에선가 나타나
까치발로 젖은 풀 섶을 지나간다.

먼데 산 지워져 보이지 않고
지척의 강도 소리만 남았다.

안개를 머금은 고요는 불안하다.
길 떠나는 나그네를 망설이게 한다.

낚 시

강심을 향해
낚시를 드리우는 일은
기다림에 대해 진지하게 생각해 보는 일이다.

낯선 두 개의 공간에서
서로의 욕망의 크기를 재어보는 일이기도 하다.
달콤한 밥 덩어리가
덫임을 알기까지
목숨은 몇 번의 수레바퀴를 돌아야 하는지.

본능과 욕심을 걷어내야
밥 덩이 속에 든 가시가 훤히 보일 것임에
강심을 향해 낚시를 드리우는 일은
마음의 눈을 닦는 일이다.

파라호에서

동터오는 아침을 물 위에서 맞는다.
바람 한 점 없는 호수는 커다란 거울이다.
깊은 것은 깊게 얕은 것은 얕게 되비친다.
새 몇 마리 물 위에서 이지러진다.
산도 하늘도 구름도 이지러진다.
어지럽다.
어지럼증도 너울너울 이지러진다.
호수는 온갖 사물을 휘어버린다.
강심을 가로질러 커다란 파문이 다가오면
거울은 긴 너울로 휘다가 휘어지다가
일시에 쨍하고 깨어진다.
후다닥 아침 하늘로 새들이 날아오른다.
호수는 커다란 거울이다.

지르마재3)에서

소음 얼룩진 세상 한 발 비껴 나서네.
달밤이라서 더욱 푸른 산.
두 눈은 모아
초록빛 한 점 낚시찌에 묶어두고
나는 떠나네.

물길을 따라 오고 가는 것은 바람 소리뿐.
호수 속에는 잘게 부서진 달 조각들.
어디서 들려오는가.
빈 가슴 흔드는 호곡呼哭
봄밤은 자꾸 깊어만 가네.

---

3) 지르마재 : 춘천시 동면 품안리 소재

지르마재에서 2

연푸른 산 물속에 잠기니
강은 없네.
초록빛 산뿐이로세.

한 발 비끼어 서면
산도 없네.

흰 구름 출렁이는
쪽빛 하늘뿐이로세.

아니, 그도 저도 아니로세.
푸른 휘파람 소리뿐이로세.

빙어 낚시

한 겨울밤 얼어버린 강물 위에 앉아
빙어낚시를 한다.
알전구의 크기만큼 동그랗게 둘러선 어둠.
검은 구멍 속에서 반짝이며 유영하고 있을
작고 빛나는 빙어를 기다린다.

어둠은 그 속에 온갖 빛나는 것들을 간직하고 있다.
차가운 어둠 속에서
뼛속까지 투명해지는 그대여!
깊은 어둠 속에서 금강석이 여물어가듯
어둠 속에서 자라는 것들은 모두
빛나는 본성을 지니고 있다.
보라, 어둠 속에서 줄줄이 달려 나오는
저 투명한 어둠의 본성을.

한겨울 얼음 위에 앉아
어둠이 들려주는 소리를 들어보라.
강은 밤이 새도록 얼음 벌판을 달리며
고함을 지른다.

은빛 갑주를 두른 투명한 영혼
빙어를 만나보려면
오지게 추운 겨울날을 골라
얼음 구멍 앞에 앉아
칼날같이 매서운 겨울을 대면해야 하리.

훌치기 낚시

걸려들면
끝
인정사정
없다

길들어가기

오늘도 아이가 또 늦었다.
어떤 사연인지 정확히 알 수 없다.
아버지는 아이가 매일 제시간에 나갔다고 하고
아이는 매일 늦게 나와 차를 놓쳤다고 한다.
누구의 말이 맞는지 모르겠다.

교육이란 가르쳐서 고쳐놓는 것이 아니다.
그저 길들어가는 것이다.
초지일관하는 저 아이의 지각이
나를 길들이는 것처럼
저 아이가 또한 나의 한결같은 잔소리에
길들어가듯.
우리는 서로에게 길들어가는 것일 뿐이다.

아이들 틈에서

언제나 어디서나
생명은 가장 힘이 세다.

삼복三伏의 염천炎天에도
태풍의 거친 손에서도
제멋대로 자라 무성해지는
저 들판의 풀처럼
아이들은 규정하고 옥죄어 오는
온갖 것들에 대해 지칠 줄 모르고 저항한다.

아이들 틈에 뒤섞여 살면서
힘에 부친다는 것은
내가 쇠잔해 가는 것이거나

누를 수 없는 생명체들을
함부로 타고 앉은 때문일 것이다.

가다듬고 다스리는 힘은
따뜻한 사랑과 농익은 다독임에서 나오는 것이다.
들판에 가득
무성한 초록을 보려거든
자세를 낮추고 돌보며 살아가는
지혜를 배울 일이다.

고까짓 사랑 때문에

그 아이의 울음보가 터진 것은
어제 오후부터다.
투명한 눈물방울이 앳된 눈두덩이를 지나
뽀얀 턱 밑으로 뚝뚝 떨어진다.
친구들 몇몇이 달래 보다가 지쳐서
그저 그 아이 우는 모습만 멀뚱히 지켜볼 뿐이다.
아무도 어떻게 해 볼 도리가 없다.
일박 이일을 그렇게 울어 쌓더니 급기야 조퇴를
하겠단다.

난감하다.
사랑 때문이라는데
고까짓 사랑 때문이라는데.

달래 보고 설득도 해 보았지만
아이를 설득하기는커녕
오히려 아이의 눈물에
내가 그만 넘어가 버리고 말았다.

더 이상 이 세상에 살고 싶지도 않다는데
그렇게 마음이 찢어진다는데
무엇을 명분으로 저 아이를 붙잡아 둘 것인가.

사랑 때문이라는데
고까짓 설익은 사랑 때문이라는데.

이미지와 그 이면에 숨겨진 것들

복도 구석에서 서성거리다가
곁을 지나는 나를 향해
두 손가락을 엇박자로 찔러대며
춤을 추는 이 녀석들.

때아닌 곳에서 때아닌 시간에
무성의 아우성이다.
아이들이 빙 둘러서고
아이들은 모두 내 얼굴을 주시하고
'어찌 하실 건가요.'
빤히 얼굴을 쳐다보는 녀석들.

빗방울을 가득 품은
찜통만 같은
하오.

'안다 안다 안다.'
'너희도 그렇구나.'

그러나 우리는 모두 어찌할 수 없다.
차임벨은 어김없이 울리고
견뎌내야 할
감당해내야 할
우리의 하루는 아직 길게 남아 있는 것을.

단정화[4] 살리기

그 애는 소란하다.
소란과 수다가 잠시도 그치질 아니한다.
소란한 그 애를 데려다 창틀 위에서 고사한
단정화와의 만남을 주선한다.
"저 화분에 담긴 단정화를 살려내거라."
"죽은 걸 살려내라니요."
"다 죽지는 않았으니 살려내 보거라."
물방울로 바위를 꿰뚫는 정성으로
네 폭죽같은 생명력을 나누어
단정화를 살려내 보거라.

말도 안되는 소리라며
하얗게 눈을 흘기고 아이는 대꾸도 안 했지만

---

4) 단정화 : 단정화(지피, 석부, 봄, 여름, 목본)

물을 주기 시작하여 사흘이 지나자 고사한 단정화
어느 마디쯤에서 연초록 그 푸른 핏줄이 서고
푸른 반점이 여기저기 돋아나기 시작하였다.
미약하지만 숨소리가 들리고
혈색이 되살아 난다.

"보아라. 보아라. 놀랍지 아니하냐."
멈출 줄 모르는 수다와 소란이 생명을 불러낸
것이냐. 아이의 순수한 정성이 사신을 몰아낸
것이냐.
"보아라. 보아라. 기적이 아니냐."

이제는 단정화의 적요를 아이에게 옮길 차례다.
소생한 단정화를 두고
소란과 수다로 떠들썩한 아이들에게
명상을 가르치리라.

시 수업 시간

한겨울 미명 길을 달려와서
아이들 몇을 데리고 선상탄船上嘆을 읽는다.
정월 긴 밤의 꿈일 것이다.
병든 통주사統舟師 배 갑판을 서성이며 사역하듯이
냉기가 성성한 교실을 뚜벅이며
시행을 가려내는 이 일은
얼마나 부질없는 짓이랴.

사랑해라, 사랑해라.
그러면 환히 보일 것이니
판단하지 말 것이며, 시비를 가리려 하지도 말고
있는 그대로를 사무치게
사랑해 보려무나.

생각해라, 생각해라.
짝순이가 짝돌이를 생각하듯이
그렇게 알뜰하게 생각해 보아라.

시란 삶 그 자체가 아니랴.
마른오징어 다리를 찢어 내듯
산 개구리 배 갈라내듯
나누고 갈라 무엇을 할 것이냐.

풀어내라는 문제는 아니 풀고
꿈만 같은 시론만을 늘어놓다가
일 교시 시 수업을 접는다.

해병대 출신 기사 아저씨

해병대 출신이라나
조경 기사 아저씨가 나무를 다듬고 있다.
회양목 5년생.
묘목밭에서 이제 막 캐왔을 성싶은
나무들은 하나하나가 제멋대로이다.
기사 아저씨는
아주 능숙하게 나무들을 재단하신다.
그 옛날 그 시절 침상을 정돈하던 솜씨를
아직도 고스란히 기억하고 있는가 보다.
아저씨의 가위가 지나간 자리마다
나무는 새파랗게 각이 선다.

나는 문득 내가 하는 일을 생각해 본다.
모두 다 제각각인 저 묘목만 같은 아이들
나도 아저씨처럼 각을 잡아 새파랗게 재단을 하고
있지는 않은지.
해병대 출신인 기사 아저씨와 병아리 선생인 나.
나도 저 아저씨처럼 능숙한가.
능숙하기만 하면 되는가.

훈 계

먼지를 터는 것이냐 종아리를 치는 것이냐.
가녀린 저 선생.
우람한 다리통에 매달려 먼지를 털고 있는 것인데.
고개를 외로 꺾어 내리다 보며
빙글거리는 저놈에 인사.
저 우람한 다리통, 그 어미가 애지중지 길러온
종아리가 아니냐.
하여 천금 같은 다리통이 아니냐.

예로부터 송아지를 붙들어 매는 법은
코뚜레를 꿰는 일로부터 시작하였거니.
천둥벌거숭인 저 송아지를 사람 되게 하는 법이
어디 따로 있을까.

혼을 낸다는 말은
정신이 반짝 들도록 따끔하게 나무라거나
벌을 준다는 뜻일 텐데
보이지도 붙잡을 수도 없는 정신을 붙들어 맬
방법이 어디 따로 있다더냐.
허니 저 튼실한 종아리라도 쳐서
따끔하게 훈계訓戒를 하고자 하는 것이데.

무쇠 한 덩어리가 쓸만한 연장이 되려면
대장장이의 이마에는 구슬 같은 땀방울이
수없이 열려야 하는 법이거늘.

꼰대짓이라니

누구나 다 그렇지
다 지나와서야
그때서야 알게 되는 거지.
단물이 나게 꼭꼭 씹어 봐야
'아하' 하고 무르팍을 치게 되는 거지.

삶이라는 건
누구에게나 단 한 번뿐이라서,
매 순간이 새로운 것이라서,
어제 같은 오늘이라도
오늘은 오늘일 뿐.
지금에서 한 치도 더 나아갈 수 없다.

나이를 먹는다고
저절로 지혜로워질 수 있을까.

꼰대짓이라니
되알지게 겪어 왔기에
너에게만
사랑하는 너에게만
스리슬쩍 알려주는 것인데.

그래, 그래, 그래라
너도 한번 모질게 겪어 보거라.

학교 현장에서

이곳에서는 원칙을 세우면 안 된다.
욕심을 가져서도 안 된다.
무욕의 땅.
무원칙의 땅.
아무리 제멋대로 부는 바람일지라도
바람이 부는 데는 원칙이 있다.
흐르는 물에도 원칙은 있다.

바람은 기압을 따라 흐르고
물은 항상 낮은 쪽을 향하여 흐른다.

그러나 제어되지 못한 욕망만이 들끓는
이 바다에는 규범도, 법규도, 원칙일지라도
한낱 쪽배에 지나지 않는다.

그저 대세인 흐름에, 그 리듬에
몸을 맡길 뿐.
돛을 접은 배는 갈 길이 따로 없다.

앙탈 고양이

좁고 어두운 낭하의 끝에서 아이들과 스친다.
검은 제복에 감추어진 처녀.
보송한 손들이 예고 없이
향기를 던진다.
얼떨결에 꽃향기를 받아 든다.

무심한 것이 세월이라지만
계절은 저마다의 향기를 지녔다.
때깔도 가지고 있다.
오감의 외투를 바짝 세우면
소리로
빛으로
향기로
볼을 비벼 오는
앙탈 고양이와 만날 수 있다.

더는 기다릴 수 없다.
바통을 받으러 가야 한다.
아직 도착하지 못한 변덕스런 느림보 주자를
맞으러
그가 오는 길목이면
어디든
손 내밀고
바통을 받으러 가야 한다.

아이들을 보며

애들은 참으로 말이 많기도 하다.
무슨 얘기들이 저리도 많을까!
듣는 사람들을 염두에 두지 않는다.
상처받지 마라.
- 당신도 그리하며 여기까지 왔다.

애들은 참으로 잘도 웃는다.
볕 좋은 가을날 오후에
깨알이 터져 나오듯
시도 때도 없이 까르르 까르르 터진다.

사실이든 아니든
애들은 아는 것도 참 많다.
궁금한 것이 너무 많아서이다.

한결같은 아이들이지만
담기는 그릇에 따라 모양이 바뀌어 가듯
아이들도 바뀌어 갈 것이다.
그러나 본성이야 어디 가겠는가.

감정이 일어나는 대로 표현하기
세상의 중심에 자기를 세우기
궁금하면 질문하기
안다고 하여 누구나 할 수 있는 것은 아니다.

III

관조觀照

흐름에 몸을 맡기고 흘러가는 것들은
거스르지 않고 억지로 이루려 하지 않는다.
벽이 막아서더라도
성급히 넘어가려 하지 않는다.
서서히 차올라서
막아선 벽을 소리 없이 넘어간다.

시간도 이와 같네.
소리 없이 지나가건만
그 손길에 닿은 자
자기도 모르게 변해가나니
꽃으로 피고 낙엽이 되어 뒹굴다가
흙으로 돌아간다네.
아무도 피할 수 없다네.

야영지에서

조명을 꺼버리자
나무들이 타오르는 소리가 들리기 시작하더군.
피시쉬거리며 수중기가 나무 속에서 빠져나가는
소리
타닥닥 거리며 목질부가 터지고 부스러지는 소리
가는 줄기들이 불덩이가 되어 투두둑 떨어지는
소리
불꽃이 휘돌며 솟아오르는 모습
빨갛고 노랗고 파란 불꽃들이
너의 눈동자 속에서도 활활 타오르더군.

숲은 푸른 어둠 속에서 웅크리고 있지만
귀 기울여 들으면 그 속에는 은밀한 소리로
가득하지.

온갖 풀벌레 소리로부터
크고 작은 돌 틈 사이를 빠져나가는 물소리까지

머리를 들면
우루루루 쏟아져 들어오는 별들
새파랗게, 하얗게, 빨갛게 반짝이는 별들
우리가 모두 나그네임을 각성하게 하는 별빛들.

우리는 아무 말 없이
별 가득한 하늘을
바라만 보았네.

가시나무

입을 열면 뛰어나가
사람을 찌르는
가시나무가 한그루
내 입 속에 살고 있습니다.
나날이 여물어가는 이 나무의 가시는
때로는 부메랑이 되어
나의 마음에도 피를 흘리게 합니다.

말로 밥을 짓는 사람들이 많은
이 시대에는
곳곳에 가시밭이 창궐하여
마음에 상처를 입고 신음하는 사람들이 많습니다.

스스로 눈과 입과 귀를 닫아버리고
찬란한 어둠의 신전을 찾아 떠난
수행자들은 어디에 있습니까.

입 속에 가시가 더 자라기 전에
나도 그 수행자들을 찾아 떠나야겠습니다.
눈과 귀와 입을 폐하고
깊은 바닷속에서
스스로 발광하는
심해어라도 되어야 하겠습니다.

다시 가을에

울렁이는 마음이여!
까닭을 알 수 없어라.
딱히 모습을 그려낼 수 없는 지나온 무수한 것들과
끝내 이어지지 못하고 시들어가는 것들.
그
모두
얼마 지나지 않아
바람이 되어 흩어지고 말리라.

순간을 불꽃같이 살아낸 자들만이
이 들판에
꽃이 되어
다시 살아올 수 있으리.

금석의 맹약일지라도 쉽사리 지워버리는
세월이여!
그러나 헛되다 설워는 마라.

저물어 가는 한 모퉁이는
눈이 부시게 밝더라.

가을 헤이리에서

이 바람은 어디서 불어오는가.
초록의 물레는 멈추었다.
탁류는 맑아지고 하늘은 높다.

이른 아침, 길은 안개 속으로 숨고
안개 사이로 언뜻 보이는 나무들
선혈이 낭자하다.

눈 하나만으로
세상과 만난다.
다 다르면서도 다르지 않은 이미지와 느낌들.

들숨 한 번
날숨 한 번에
모습을 바꾸는 이웃들.

하늘에는 새들의 날갯소리 가득하고
낮달은 창백하다.
사색思索의 계절이다.

안테나를 높이 세우고
머리 하얀 들판을 지난다.

파란 하늘 아래서

당신도 보았을까나.
파란 속에 속 그 속을 넘어
그 너머까지.

파란 하늘 아래로
구름이 흘러가고 계절이 바뀌고
시간이 지나가는 소리를 들으며
끝 모를 파란 너머를 가로질러 가는
은빛 점 하나에 주목하고 있나니.

푸른 저 벽碧 너머로 가면 갈수록 작아지고
작아져서
티끌보다도 더 작아져서
마침내 흔적도 없이 사라져버릴
그 지점쯤에 다다른다면

그때도 너와 나는 너와 나일 것인가.
그렇게 나뉘어 질 수 있을까 하는
생각을 굴리며
아름다운 이 행성의 둘레길을
달리고 있나니.
아! 이 길은 어디에서 시작하여
어디로 이어지는 길인가.

생각의 감옥

'짜 내놓아라'
끔찍하지 아니한가.
'-아라' 혹은 '-라'는
거기에다가 '짜'까지 라니.
생각의 감옥 속에다 밀어 넣고
문을 잠가버린 차가운 혀.

익숙하지 않은 길을 걸어 당신을 만나러 간다.
설레임은 두어 발짝 뒤에서
귀찮고 언짢음은 옆구리에
모두가 입을 꾹 다물고 걷는다.
이 불편한 삼각 구도

어떤 입에서 뱉어지는가.

오물같이 불쾌한

'-어라' 혹은 '-라'는

머리는 없고 변덕스러운 마음만 가진 괴물인가.

머리만 있고 가슴이 없는 싸이코인가.

기다란 연휴 내내

발목에 무겁고 질긴 사슬을 매달고

나는

감옥 속을 서성였느니.

추억은 아름다워라

시간의 퇴적층을 파고 내려가 보라
거기 화석으로 누워있는 추억을 만날 수 있으리.
단단하게 석화된 기억의 퍼즐을 다 맞춘다고
지나간 시간을 되돌릴 수 있겠는가.
되돌이가 안되는 일방통행로.
시간은 일방통행의 외나무다리이다.
우리는 그저 지평을 밀며 묵묵히 전진할 수 있을
뿐이다.

기억이란 집착의 뿌리 위에 건설된 허구이다.
그것은 세월의 프리즘을 통해
미화되거나 왜곡되어 읽혀진다.
그리하여 과거에 대한 인식은 관대하고 너그롭다.

고통은 현재에 존재하기 때문이다.
통증을 걷어낸 기억은 향기롭고 달콤하다.
괴물이 다 되어버린 나도 당신도
그 속에서는 모두 아름답다.

나는 누구입니까

고열 속에서
밤새 어딘지 모를 세상을 떠돌다가
아침을 맞이합니다.
마주 선 세면대 거울 속에서
나를 보는 얼굴들.
이미 돌아간 이들이 거기 모여 서서
나를 보고 있습니다.
아버지와 동생, 유난히 백발이 성성했던 할머니
이미 내 속을 거쳐 뻗어나간 아이들까지
모두 함께
나를 쳐다보고 있습니다.
나는 누구입니까.

과거와 현재와 미래가 뒤섞인 카오스.
나를 여기까지 이끌어 온 바람은
어디서 불어와서 어디로 가는 바람입니까.

거울 속에 저렇듯 자기를 내보이는
저 무수한 얼굴들.
나는 누구입니까.

비요일 단상

'길이 비에 젖어 있다' 이거나
'비가 길을 적신다' 이거나
문제는 누가 주체인가이다.

능동이거나 피동이거나
주동이거나 사동이거나
나그네가 길을 가는 방식은 그것 중 하나일 것이다.

이것도 저것도 싫으면 그냥 구경꾼.
그저 떠내려가는 것도 길을 가는 방식일 터이다.
흐름에 몸을 맡기고 흘러가는 대로
이런들 어떠하리 저런들 어떠하리.
대상은 어디에나 어느 순간에나
존재하는 것이 아니랴.

갈등은 '내'가 '중심에 있기 때문에' 일어나는
'현상'이다.
꼬지 않고 비틀지 않으면 된다.
왼쪽으로 돌면 왼쪽으로
오른쪽으로 돌면 오른쪽으로
같이 가면 된다.
손해나 이익도 내가 있어서 생긴다.
나그네의 문제는 나그네가 만들어 내는 것이다.
누구를, 무엇을 탓할 것인가.

너에 대해

너에 대해 생각한다.
그건 '너는 누구인가'를 궁구하는 일이 아니다.
'누구인가'에 대한 궁구窮究는 그건 '나에게나'
해당하는 이야기다.
너에 대해 생각하는 일은
내가 너에게 '다다르는 일'이다.
너를 생각하는 일은 너를 '보고 싶어'하는 것에
다름이 아니다.

너에 대해 생각한다는 것은
네가 좋아하는 것
네가 싫어하는 것
너를 기쁘게 하는 것
너를 슬프게 하는 것들에 대해

너의 실존에 대해
상상해 보는 '나의 즐거운 시간'일 뿐.
그것은 '너'와는 다른 것이다.

너는 그저 저기 저 언덕에 서 있는 한 그루
나무이며
저 들판에 가득한 꽃송이들 중에 하나일 뿐으로
그 나무나 꽃한송이의 기쁨이나 슬픔에 대해서는
나는 도저히 어찌해 볼 수가 없다.

너를 생각한다는 것은
너에 대한 나의 행동을 가늠하는 일이다.
너를 생각하는 것은
나의 기쁨이며 나의 즐거움이며 나의 슬픔이며 나의
괴로움일 뿐이다.
그러므로 '너를 생각하는 일'은
온전히 '나의 일'인 것이다.

사 바 나

비집고 들어와 인정하라 한다.
머리를 들이밀고 을러댄다.

잠시도 머뭇거려서는 안 된다는 듯이
끝없이 몰아붙인다.
하면 할수록 '더, 더, 더'를 외친다.
비교할 수 없는 둘을 한 무대에 세워놓고
한 명씩 덜어내면서
끝도 없이 몰아붙인다.

머리도 없는 자들이
열정도 없는 자들이
능력도 모자라는 자들이
모여서 판단하고 재단하고 결정한다.

아침부터 밤까지
꿈자리에서조차
사바나 초원이다.

하루가
전 생애가
달리고 달려야 하는
사바나이다.

근 황

나?
행복하지!
꽃봉우리 벙그는 늦삼월의 오후
빗방울 창밖을 서성이고
밥 익어가는 냄새가 안개처럼 퍼지는 푸근한
어스름에
토요일 오후답게
목소리 말랑말랑한 아나운서의 목소리와
가슴 찡하게
흥겹게
음악이 흐르는 라디오와
이 시간 속에서

나?
달리 더 필요한 것이 없으니
행복한 거 맞지!
바라는 거?
너와 너 같은 친구들 몇몇을 모아
노가리나 몇 마리 구워 놓고
생맥주나 끼고 앉아 노가리나 구수하게 풀 수
있다면
캡이겠다. 그쟈

신구지가新龜旨歌

긴 꼬리를 미처 감추지 못하였구나.
겁이 없었거나
무시했거나
무지했거나
그랬던 것이겠지.

상황을 제대로 파악하지 못한 당신은
늘 해오던 일이었기에
그게 잘못인 줄도 몰랐던 게야.

먼저 그 길을 가신 오빠들처럼
꼬리를 잘라버릴 깜냥도 안되니
그저 뒤돌아 앉아 눈도 귀도 닫아버리고
모르쇠 쇠고집으로 밀고 나갈 수밖에.

주객이 전도되어버린 당신들 사이를
누가 몸통이고 꼬리였던가를
따져보는 이 참담한 시점에서야
다시 한번 되돌아보게 되는
눈먼 무지렁이들아.
그저 반복되는 그 밥에 그 나물들.
언제는 모른 척
관대한 척 눈감아주고
언제는 힘에 눌리어 목소리 죽이고 엎어져 있다가
제 손목을 잘라 버리고 싶은
이 비참한 시점에야 위태로운 촛불 하나 켜 들고
광장에 모여 외치려나.
이참에야 기왕 촛불 치켜든 이참에야
애초에 잘못 끼워진 단추를
처음부터 다시 끼워야 하지 않을까.

저 눈칫밥 십 단쯤 되는
거들먹거리는 저 머리들을
그 나물에 그 밥들을

깡그리 밀어 치우고
광명정대한 세상 만들기를.
의로운 선남선녀들아
민본이 바로 서는 살만한 세상 만들기를.

이 혼돈의 흙탕물 세상을 앞장서서 헤쳐 나갈
그 누가 있더란 말인가.
촛불 켜 든 저 장삼이사張三李四를 이끌어
환하고 의로운 새 세상 이끌어갈 미륵彌勒은 어디에
있는가.
기다리고 기다리노니
이제는 그만 머리를 내어놓으시게나.
개벽의 아침을 열고 나갈
가슴 뜨거운 사람을 찾고 있나니.
꼬리를 더듬어 몸통을 찾는 일보다도
이것이 더더욱 중요한 일이라.

기왕에 쏟아진 국이야 천천히 말끔하게 잘
닦아내도록 하고
무지막지한 어둠의 세력들 쫓아낸 그 자리에 새로이
들어설 참신한 일꾼을 찾아야 하노니
거북아
거북아
머리를 내어라.

난세를 아우르고
위대한 이 민족을
이 나라를
의롭고 새로운 세상으로 이끌어갈
거북아
거북아
머리를 내어라.

핵 실 험

아리랑 2호가 찍어 놓은
함북 길주군 풍계리 만탑산 가랑이 사이를
자세히 들여다보라.
미처 감추지 못한
채 마르지도 못한
정사의 흔적이 고스란히 남아 있으니
저 음험하고 어두운 골짜기 사이에
방사의 불을 지핀
너는 누구냐.
영원한 처녀이어야 할 이 산하에
결단코 씻어내지 못할 죄
파멸과 재앙의 씨를 심고 있는
너는 누구냐.

중앙일보제13008호 c9 이미지
지하 핵 실험관련 자료

일찍 일어나는 새 한 마리

15000+α
당신에게 맡겨진 시간이다.

일만 오천일의 밤과 낮.
길다.
너무 길다.
너무 길어서 요원하다.
100일이 1000일 같았는데
15000+α라니

일찍 일어나는
새 한 마리, 참새 한 마리
참 뜨겁겠다.
붉게 달구어진 철판 위에서

청평사 가는 길에서

길이 끝나는 곳에
또한 길이 생기는 것이니.
지금 자네가 걷는 그 길은
한때 내가 걸었던 길이다.
몸을 뒤척이며 자네가 걷고 있는 그 길은
한때 내가 유영하던 길이다.

오갈 수 없는 길의 끝에서
서로를 응시하는
우리는 같은 시간을 공유하는 나그네들이다.
더는 갈 수 없는 길의 끝에서
나의 길이 너의 길로 변환하는
길의 경계에서
우리는 서로를 응시하고 있다.

세월만 간다

그 어떤 무엇을 가지고 있기에
너는 늘 두고 온 고향같이 그리운 것이냐.

그 어떤 가사의 노랫말이기에
바람결에 묻어오는
노랫말만으로도
이토록 억장이 무너지느냐.

선 하나 그어 놓고
바람 따라 물 따라 세월만 간다야.
지척에 너를 두고
모질게 세월만 간다야.

숙명宿命

당신은 누구.
그걸 물어보는 나는 누구.

건너가는 길에 놓인
돌덩어리.

누군가가
이 길을 지나가기 위해서
밟고
지나가야 하리니.

언제인가는
당신
또한 저 길목에 돌덩이로 놓이리라.

IV

그 리 움

손이 미치지 못하는 곳에 있는 것들은 아름답다.
닿을 듯 말 듯
보일 듯 말 듯
그 거리를 유지하고 있다면
그리움은 더욱 찬연해진다.

그리움을 간직하려 하면 거리를 유지해야 한다.
손에 닿으면 금세 녹아버리는
그리움이란 눈송이 같은 것이다.

그리는 마음이 손을 내밀어
손과 손이 이어지면
그리움은 이내 빛을 잃고 마는 것이니
그리움이란 적당한 거리 저편에서만
빛을 발하는 신비로운 보석이다.

지 금

지나온 것들은
스치듯 지나온 것들은
그저 지나간 것들일 뿐이다.
지금도 다르지 않다.
아직 오지 않은 시간에서도 마찬가지다.

아무 의미도 없이
그저 반복되는 일상을 살아내야 하는 것이 삶이라면
삶은 지금 당장 종착에 다다르더라도
아쉬울 것도
억울해할 것도 없다.

공유하고 나누고 행하는 것
그대와 내가
함께 할 수 있는 것은
그것이 전부이다.

내일을 운운하며 지금을 미루지 마라.
그런 시간은 없다.
지금 우리를 옭아매고 있는 것들은
우리가 만든 것들이 아니다.

속절없이 간다

속절없이 간다.
참 좋은 것들과 그것들을 품고 있는 시간은.

어두운 눈이
지나가는 것들의
진면목眞面目을 보지 못하나니
때를 놓치면
아무것도 남는 것이 없어라.

무엇을 위하여
하루를 살아야 하리.
바람을 따라
떠돌이별이라도 될거나.

아름다운 그대여!
흩날리는 꽃잎 비 맞으며
그대와 더불어
지금을 걷고 싶나니.

바람 살랑이는 봄날 오후를
코끝 간질이는
꽃향기에 취해.

파문波紋

이 내밀한 공간에 어찌 들어오셨는가.
초대한 적이 없거늘
들어오셔서 잔잔한 파문을 일으키시는가.

'왜'라고, '어떻게'라고
묻지 않기로 하세.
그저 별일이 아니라는 듯이
이만큼 떨어져서
짐짓 딴청을 부려가며 지켜보기로

구름이며 바람이
쪽빛 화선지에 붓을 놀리는 것을
빛과 어둠이 수레바퀴를 돌리는 것을
그 속에서 생기고 스러지는 것들을

이 일도
이와 같을 것이네.
이 잔잔한 파문마저도

그렇지 아니하던가.
한때 즐거움에 까무러치던 그 세포들의 기억마저도
새까맣게 지워져 버리지 아니하던가.

없는 것을 있다고 하지 말아야 하네.
그 어떤 형상도 만들지 말아야 할 일이네.

사진을 보며

그 사진 속에는 꽃이 피고
낙엽이 물들고
눈발이 싸락싸락 날립니다.

그 사진 속에는
바람이 불고, 구름이 흐르고
비가 오고, 새가 울고, 나비 떼가
날아오르기도 합니다.
초원 위로는 하얀 양 떼가
뭉게뭉게 나타나기도 합니다.

사진 속에는 그 모든 것들과 더불어 항상 당신이
있습니다.
그래서 그 사진은 단순한 풍경 사진이 아닙니다.

그 사진 속에는 시가 있고, 노래가 있고
웃음도 울음도 고뇌도 함께 있기 때문입니다.
사진 속에는 노을 가득한 눈망울이 있고
그리움이 강처럼 흐릅니다.
그 속에는 흐르는 세월이 새겨 놓은 수많은
흔적도 있습니다.

아름다움에는 특별한 때가 없다는 것을
그 사진을 보면 알 수 있습니다.
세월을 따라 사진은 색깔은 변해가지만
어느 때가 더 아름다웠다고 말할 수는 없습니다.
사진 속에 주인공이 당신이기 때문입니다.

가난한 별

흘러가는 것에 저항 없이 맡겨놓으면
어디까지 갈 수 있을까.
길이 보이지 않는 당신의 나라는
그저 흘러가다 보면
언젠가는 다다를 수 있는 것일까.

별과 별 사이
그 아득한 거리
누구 하나 깨어지지 아니하고는
끝내 다다를 수 없는 우리 사이.

당신이란 나라에 도달하지 못한
영혼들 가득한
이 별은 가난한 별이다.

너 있고 나 있으면

어디면 어떠하리.
너 있고 나 있으면 된다.

산정에서
바닷가에서
꽃들과 새들의 노래 속에
너 있고 나 있으면 된다.

노을 스러진 하늘에 가득한 별들과
어둠 밀어내며 타오르는
모닥불 둘레에
옹기종기
너 있고 나 있으면 된다.

나에게 너는

때때로 떠오르는 생각을 기록한다.
의문은 따로 적어둔다.
그리고 까맣게 잊어버린다.
알맞게 익은 후에야 꺼내어 들여다본다.
그렇게 하면 보일 것이다.
나한테 너는 무엇이었을까.

기억은 사실이 아니다.
추억도 그 연장선상 어디이다.
너는 왜곡된 이미지의 총체다.
그 어디에도 온전한 너는 없다.
집착하여 놓지 못하는 마음과
멋대로 형상화해 놓은 이미지가 있을 뿐이다.
그게 너다.

너와 나 사이에서
항상 문제는 나다.
존재하지도 않는
너를 붙잡으려고 애를 쓴다.
그 어디에도 너는 없는데
이미 오래전에 사라졌는데
그런데도 불현듯
다시금 꺼내어 들여다본다.

늘 무엇을 해야 하는 것은 아니다

늘 무엇을 해야 하는 것은 아니다.
기나긴 명절 연휴를 보내고
해방된 이 시간을 그저 방치해 놓기

재즈의 리듬이나 제멋대로 굴러다니게
내버려 두고
소파에 널브러지기.
심심해서 사망하기 직전까지는
손끝 하나 움직이지 않고 널브러지기.

정물이 되어 하루가 지나가는 것을
그저 관망만 하기.

늘 무엇인가를 해야 한다는 관념이
그 강박이
삶을 번거롭게 하므로
바위나 나무, 풍경 속에 사물들같이
그저 지켜서 있기로.

바람이
구름이
시간이
지나가는 것을
그저 바라만 보기로.

거 울

모두 기록되었더라.
뼈에
살에
사무치는 마음에
세월이 새겨 놓은 굴곡을 지나가며
시간은 소리를 지르더라.

해가 바뀔 때마다
뼈마디에서
신경다발에서
비명처럼 신음이 흘러나오고
몸뚱이 구석구석에서
앓는 소리가 절로 나와
살아온 날들을 절절하게 고하더라.

비가 오면
뼈마디 건드리고
바람 불면
마음을 건드려서
'아이구야' 소리가
그저 노래처럼 흘러나오더라.

살아온 몸이
그 마음이
이토록 환한 거울인 것을.

혼자 앉아서

후두둑 떨어집니다.
애써 참아온 것도 아닌데

담담하던 그것의 어디를 건드렸기에
이렇듯 참을 수 없이
뜨거운 것들이 쏟아져 나오는 것인지.

춘 사월 화창한 오후
문밖에는 갖가지 소음들로 가득한데
혼자 멍하니 앉아
구름 성긴 먼 하늘만 바라보고 있었거늘
그 무엇이
그 어디를 건드렸기에

담담했던 그것이
이리도 가슴 미어지게 하는지.
뜨거운 것들을 쏟아내게 하는지.

홀로 방안에 혼자 앉아서
뜨거운 눈물을 쏟는다.

항아리와 바람

그렇다고 하자.
빈 항아리 속을 드나드는
바람이라 하자. 너를

항아리인 내가
바람인 너로 인해 소리를 지른다고 치자.
소리도 형체도 없는 네가
맘대로 속을 휘젓다가
횡하니 빠져나가 버리는 네가
나에게 악다구니를 부린다고 치자.

그렇다고 해도 섞이었다가 풀어지는 것도 아니요
있는 것도 아니고 없는 것도 아닌
바람은 늘 바람인 것이고
항아리는 늘 항아리인 것이니

자유롭게 오고 가는 것이
너의 이름이라면
늘 한자리에 버티고 앉아
기다림이라는 이름으로 낡아가는
나는 항아리인 것을.

우리의 눈은 외다

빛과 어둠
낮과 밤은
현상에 대한 해석일 뿐이다.

우리의 눈은 외다.
저 침묵의 수행자
나무가 구도求道하는 자세를 보라.

천년 세월을 능히 한 자리에서
하늘을 벽 삼아
면벽을 하는 것인데
저 수행자의 도가 늘어간다고 함은
빈 공중을 향해
그늘을 무성히 넓히어 가는 것이 아니랴.

하여 위로든 옆으로든
무한히 뻗어나가는 것이 아니라.
저 수행자의 가지며 줄기가 빛을 향해
뻗어나가듯이
뿌리는 또한 어둠을 향해 뻗어나가는 것이 아니라.

빛과 어둠이 공존하지 않는다면
어찌 그것을 도의 완성이라 할 수 있을 것인가.
어느 것이 줄기일 것이며
어느 것이 뿌리일 것인가.

어두워지면 하늘을 보라.

어두워지면 하늘을 보라.
무수한 별들이
어둠 속에서 신호를 보내올 것이니
반짝이는 저 신호들은
얼마나 먼 거리를 달려와 이곳에 다다르는가.
얼마나 오랜 시간을 달려와서
너의 눈동자에 닿는가.

지금 너를 싣고 운행하는 이 별은
태양계에서 가장 푸른 지구라는 별이다.
이 행성에는 별의 수만큼
많은 생명이 다 함께 머물고 있나니
이들은 모두 저 무수한 별에서 온 나그네들이다.

귀 기울여 보라.
반짝이는 신호에 화답하는 수많은 소리가 들릴지니.
하늘과 땅과 바다에 가득한 소리들
이윽히 풀 섶을 흔드는
저 뭇소리들은
언젠가는 가벼워진 몸으로 되돌아갈
제 떠나온 그 별에 보내는
그리운 신호인 것을.

출근길에

까마귀 가족들 기다란 밥상에 모여 앉았다.
동장군이 서슬 퍼런 십이월에

간밤에 산 짐승 한 마리
자동차 바퀴 아래 찢겨 졌거니
검고 긴 도로 위에 차려진
차가운 밥상.

잠시도 짬을 주지 않는 자동차들.
달려들고 또 달려드나니
이쯤 되면 밥상 위에 놓인
한 톨 밥알을 얻기 위해
목숨이라도 걸어야 할 판이다.

구세주가 세상에 온 지도
어언 이천 년 하고도 다섯 해가 지나가건만
따뜻하게 차려진 잔칫상 하나 받지 못하는
지지리도 궁상맞은 삶이여.

밥을 벌러 가는 거야 나도 마찬가지다.
미명의 새벽길에 불 밝히고
꽁꽁 언 길을
가슴 졸이며 달려가는
이 무수한 나도
너만큼이나 배고프고 발 시리다.

둥 지

새가 둥지를 짓는 것은
머무르기 위해서가 아니다.
새는 둥지를 치장하기 위하여
생을 낭비하지 않으며
둥지의 크기로 자신을 과시하려 하지 않는다.

치장하고 과시하기 위하여
둥지를 짓나니
인간만이 그러할 뿐이다.
날개를 펼쳐 창공으로 날아오른 새는
다시는 둥지를 찾지 아니한다.

평생을 둥지를 짓기 위하여
수고를 자청하여
멍에 속으로 삶을 끌고 들어가는 자
인간만이 그러할 뿐이다.

꿈속에서

아침이면 일어나서
쉴 새 없이 말똥을 굴리고
밤이 오면 토굴 속으로 기어들어 가서
하루 만큼씩 죽는다.

무엇이 달콤한 잠에서 나를 깨어나게 하는가.
기름이 남아 있는 한
시간은 쉼 없이 생生을 태울 것이다.

무엇을 밝히려고 타오르는 불꽃인가.
무엇을 짜기 위해
쉼 없이 물레를 돌리는가.

어디를 향해 가는 길이기에
바리바리 끌어안고 가는가.
어디에서 맺어진 인연이기에
연연하여
끌려가고 있는 것인가.

나는 그저
꿈속에서만이라도
자유로울 수만 있다면 좋겠네.

누구나 한 번쯤은

출근길에 버스 정류장을 지나며
불꽃처럼 환하게 빛나는
당신을 지나친다.
누구나 살아가는 동안
환하게 빛나는 순간이 있다.

간직하고 싶은 순간을
그냥 지나쳐간다는 아쉬움으로
고개가 절로 돌아간다.
사진기라도 하나 있었더라면
순간을 담아
영원히 간직할 수 있었으련만.

살아가는 동안
누구나 한 번쯤은 환하게 빛나는 순간이 있다.
누군가의 눈동자에 속에서
불꽃으로 환하게 타오르는 순간이 있다.

마침내 석류알이
껍질을 열고 나오듯이
황홀한 생명이 분수처럼 뿜어져 나오는
순간이 있다.
꾸며서 만들 수 없는 순간이다.

쉬운 말 어렵게 하기

생각의 크기를 말하자면
끝도 없고
한限도 없습니다.
그러나 감각의 외연은 시각의 끝을, 청각의 끝을
벗어나지 못합니다.
보아야 비로소 인지할 수 있고
들어야 비로소 인지할 수 있습니다.

나는 당신을 알지 못합니다.
그 어떤 감각으로도
당신을 체험하지 못하였으므로
나는 당신을 알지 못합니다.

체험한 만큼 외연은 확장됩니다.
확장된 인지의 축적이
인식의 등대이며
행동의 잣대입니다.

그러나 오감으로 당신을 체험하였다 하더라도
나는 당신을 알 수 없습니다.
영영 알 수 없습니다.

소꿉장난

그렇지 않습니까?
세상에 일들이야 모두 다 소꿉장난.
제아무리 중한 일이라 해도
바라보기 나름인 것을.

청사를 떠받치는 시금석에다
명예와 업적을 새긴다 한들
그 또한 바다 기슭을 지키는 모래 언덕.

어떠하셨나요?
오늘 당신의 하루는
오늘도 재미있게 잘 노셨는지요?
소꿉놀이 재미가 쏠쏠 하셨다구요!
참으로 다행입니다.

너무 어질러 놓지는 말아 주세요.
그걸 치워야 하는 사람들은
무척이나 힘들거든요.

기원祈願

송장을 끌고 화덕 앞으로 간다.
사리가 맺히도록 태워도 축축한 영혼
질기고 모질다.
영생을 이어가는 이 실타래는
밟아도 밟아도 다시 일어나는 혼불이다.

육신이 부서지도록 삼천 배를 하는
저 간절한 기원祈願의 속내는 무엇일 것인가.
환생還生 금지.
윤회輪廻 금지.
다시는 다시는
그 무엇으로라도
돌아오지 않도록 하옵소서.

동백은 아직 꿈에서 깨지 않고

일월이라
엄혹한 동장군을 피해
남해라 여수로 피난을 왔어라.
돌산 대교를 건너
오동도 동백섬에 동백을 보러 갔더니만
동백은 아직 꿈에서 깨지 않고
천만리 머나먼 동토의 나그네가
먼저 와서는
바다도
사람도
꽃도
모두 꽁꽁 얼려 놓았구나.

친 구

마음속이라니
그 어디에 너는 각인되어 있는가.

설명할 수 없는 끌림으로 시작하여
끝내는 지워낼 수 없는 이미지가 되어
서로의 주변을 위성처럼 떠돌고 있는 것이니
너를 맘속에 새긴 이후로
나는 너를 잊어본 적이 없다.

애초부터 비껴지나가 버리고 마는
인연도 있어서
합쳐지지 못하면 깨어지고 부서지거나
버려지고 마는 것인데.

그저 곁은 따라 맴도는 위성처럼
숨었다가 나타나기를 반복하는
그런 인연도 있는가 보다.

나는 너를 잊어 본 적이 없다.
처음이 그러했던 것처럼
아주 오랜 시간이 지났음에도
너를 만나니
바로 알겠더라.

파경破鏡

금이 가 버린 거울은
환원이 불가하다.
찢어진 환부를 교묘히 가리더라도
실핏줄 사이를 새어 나오는
핏방울을 막을 수는 없다.
거울 속에 그녀의 미소가 깨져 있듯이
거울 밖 사내의 생각에도 금이 가 있다.
상흔이 길게 나버린 거울 속 세상에 온전한 얼굴은
없다.
포장한 그 얼굴에 깃든 미소가 어떻든
보이는 것들이란 매양
거짓의 잔해들 뿐이다.

사랑이 품고 있는 단어들

나누다
공감하다
공유하다
바라보다
같이 가다.
같은 곳을 보다.

은밀하다, 편안하다, 맞춰보다, 양보하다, 배려
하다, 사모하다, 떠오르다, 눈이 멀다, 얄밉다
안달복달하다, 양면적이다, 이기적이다, 위험하다
질투하다, 시기하다. 사로잡히다, 믿다
아! 골 아프다.

추기: '그립다', '보고프다', '편들다'도 있다고
하네요.